GORAU
GLAS

I fy wyres, Sophie
For my granddaughter, Sophie

Diolch / *Thank you:*

Diolch yn fawr i Helen Prosser o'r Ganolfan Dysgu
Cymraeg Genedlaethol am ei chymorth
a'i chefnogaeth caredig.

Diolch hefyd i Carl Pearce am y lluniau gwych.

*Thank you very much to Helen Prosser from
the National Centre for Learning Welsh
for her help and kind support.*

Thanks also to Carl Pearce for the brilliant pictures.

GORAU GLAS

LOIS ARNOLD

Argraffiad cyntaf: 2021

Llun y clawr a'r lluniau du a gwyn: Carl Pearce
Cynllun y clawr: Sion Ilar

Rhif Llyfr Rhyngwladol: 978 1 78461 868 1

Dymuna'r cyhoeddwyr gydnabod cymorth ariannol
Cyngor Llyfrau Cymru

Cyhoeddwyd ac argraffwyd yng Nghymru
ar bapur o goedwigoedd cynaliadwy gan
Y Lolfa Cyf., Talybont, Ceredigion SY24 5HE
e-bost ylolfa@ylolfa.com
gwefan www.ylolfa.com
ffôn 01970 832 304
ffacs 01970 832 782

Y bobl yn *Gorau Glas*

Heddlu Aberglas:

Alix

Sian (partner a mentor Alix)

Vikram

Kelly

Sarjant Roberts (y bòs)

Ditectif Clark ('Sherlock')

Cynnwys

siarc – *shark*

Shwmae! Alix dw i. Dw i'n 23 oed. Dw i'n byw yn Aberglas.

Dw i ddim yn enwog. Person bach dw i (dim ond 5' 1"!).

Ond bob dydd dw i'n gwisgo **iwnifform**. Wedyn dw i'n codi'r radio, y **cyffion**, y camera, y tortsh a'r ffôn.

Person newydd dw i nawr. Alix Jenkins, Heddlu Aberglas, yn mynd ar batrôl!

---

iwnifform – *uniform*   **cyffion** – *handcuffs*

Y Llun

Dw i'n mynd ar batrôl yn Stryd y Parc gyda Sian.

'Mae hi'n braf,' meddai Sian.

'Ydy. Mae'r glaw wedi stopio!'

'Ydy hi'n amser cinio eto?'

'Na, Sian.'

Mae dyn yn cerdded i lawr y stryd.

'Psst, Sian!' dw i'n dweud. 'Dyna'r byrgler, ar y CCTV!'

'Ti'n iawn, Alix! **Esgusodwch fi**, syr. Heddlu. Beth yw'ch enw chi?'

'David.'

'David beth?'

'Beckham.'

'O, ha ha! Ble dych chi'n byw?'

'Miami.'

'Dim jôc yw e, syr! 'Dyn ni eisiau siarad â chi… hei!'

'Ta-ta, ferched!'

'Stopiwch!'

---

esgusodwch fi – *excuse me*

Mae Sian yn siarad â'r tîm ar y radio. Dw i'n rhedeg. Mae'r dyn yn rhedeg fel Usain Bolt! Mae e'n mynd at fan Transit ac yn gyrru **i ffwrdd**.

SGRECH!

Y rhif! Dw i ddim yn gallu darllen rhif y fan. **Damo**!

*

'Dyn ni'n mynd i **orsaf yr heddlu**. 'Dyn ni'n dweud y stori wrth Sarjant Roberts.

'Sori, Sarj.'

'Mae'n iawn.' Mae'r Sarjant yn neis. 'Siaradwch â Ditectif Clark am y fan.'

'O na, dim blincin Sherlock!' meddai Sian.

*

'O, ffantastig!' meddai D C Clark. 'Dych chi'n gweld byrgler. Dych chi ddim yn gwybod ei enw e.'

'Wel, na, ond...'

'Ble mae e'n byw.'

'Na, ond...'

'Rhif y fan Transit.'

'Ond roedd mwd ar y rhif.'

'Pathetig!'

---

i ffwrdd – *away*   **damo** – *damn*

gorsaf yr heddlu – *police station*

*

'Dyn ni'n mynd i'r cantîn. Mae Vikram a Kelly yno. Mae Sian yn bwyta cyrri, reis a sglodion. Wedyn pwdin jam a chwstard.

'Rwyt ti'n **lwcus**, Sian!' meddai Kelly. 'Rwyt ti'n bwyta fel ceffyl, ond ti'n **denau**!'

'Wel, 'dyn ni angen bwyta yn y job yma!'

Dw i ddim eisiau cinio. Dw i ddim yn hapus.

'**Paid â phoeni** am Sherlock, Alix,' meddai Vikram.

'Idiot yw e!' meddai Kelly.

Na. Fi yw'r idiot, yn **colli**'r byrgler!

*

Mae'r **llais** ar y radio yn dweud: 'Byrgler yn 7, Heol yr Eglwys. Tŷ Mr Jacob Jones.'

Mae Sian a fi'n rhedeg: Y Stryd Fawr… Heol y Parc… Ffordd Caernewydd…

'Ffiw!' Dw i **mas o bwff**. 'Dw i'n dwym!'

'A fi! Ac mae'r cyrri a sglodion **yn troi yn fy mol**!'

'7, Heol yr Eglwys. **Hwrê**!'

*

lwcus – *lucky*	**tenau** – *thin*
paid â phoeni – *don't worry*	**colli** – *to lose*
llais – *voice*	**mas o bwff** – *out of breath*
yn troi yn fy mol – *turning in my stomach*	
hwrê – *hooray*	

fat – bras, tew

'Helô, Mr Jones. Ydy'r byrgler yn y tŷ?'

'Na. Mae e wedi mynd, yn ei fan.'

Y fan Transit! 'Dych chi'n gallu **disgrifio**'r byrgler?'

'Wel, tal… o, diar, dw i ddim yn siŵr, sori!'

'Peidiwch â phoeni, Mr Jones. Dych chi mewn sioc. Dych chi eisiau paned o de, gyda siwgr?'

'Ydw, os gwelwch yn dda. O diar…'

'Beth mae'r byrgler **wedi'i ddwyn**, Mr Jones?'

'Pethau sentimental. Lluniau. Dw i ddim yn poeni am y fframiau. Ond mae llun o Linda a fi. Fy **hoff** lun i. Linda a fi'n priodi… Linda, **druan**!' Mae e'n crio.

*

'Druan â Mr Jones!' dw i'n dweud wrth Sian. 'Dw i eisiau ffeindio'r lluniau.'

'Wel, mae'r byrgler eisiau gwerthu'r fframiau, dw i'n siŵr,' meddai Sian. 'Mae pobl yn y Dociau'n prynu pethau.'

'Reit!'

'Dyn ni'n cerdded i lawr Heol y Dociau.

'Mae hi'n ddiflas yma!' dw i'n dweud.

'Ydy. Reit, mae stryd fach yma…'

'Dyn ni'n mynd i bob stryd yn y Dociau. Ond 'dyn ni ddim yn ffeindio lluniau Mr Jones.

*

disgrifio – *to describe*	**wedi'i ddwyn** – *stolen*
hoff – *favourite*	**druan** – *poor thing*

11

Mae'r shifft wedi gorffen.

'Wyt ti'n dod i'r cantîn?' mae Sian yn gofyn.

'Na. Dw i'n mynd adre.'

'Paid â phoeni, Alix,' meddai Vikram. ''Dyn ni'n gallu trio ffeindio'r lluniau yfory.'

'Ydyn.' Ond dw i'n drist.

*

Dw i'n eistedd ar y bws, yn edrych ar y stryd. Yna dw i'n gweld fan Transit… fan 'David Beckham'!

'**Stopiwch** y bws!'

Dw i'n ffonio Sian. 'Mae'r fan ym maes parcio tafarn Y Mochyn Du!'

'Reit, dw i'n dod!'

'Beth am Ditectif Clark?'

'O, stwffo Sherlock!'

*

Dw i'n aros yn y maes parcio… Ble mae Sian?

Yn sydyn dw i'n gweld y byrgler yn dod o'r dafarn.

'**Arhoswch** plis, syr!'

Mae e'n rhedeg. O na, dim eto!

---

stopiwch – *stop*　　　　　**yn sydyn** – *suddenly*

arhoswch – *wait*

Dw i'n gweld Sian, Vikram a Kelly'n dod i'r maes parcio, ond dw i'n rhedeg, rhedeg fel y gwynt.

'Ieee, Alix!' mae Kelly'n gweiddi.

Dw i'n gwneud **fy ngorau glas**... 'STOPIWCH!'

'Dych chi ddim yn gallu stopio fi!' mae'r byrgler yn protestio.

fy ngorau glas – *my very best*

'O na?' meddai Sian. 'Cyffion, Alix!'

CLIC!

*

'Dyn ni'n mynd i weld Mr Jones.

'Noswaith dda, syr. Dyma'ch lluniau chi.'

'Fy lluniau i? Wir? Bendigedig! O, diolch! Diolch yn fawr! Croeso adre, Linda.'

Mae'n grêt gweithio i'r heddlu!

O, Myfanwy!

Prynhawn Sadwrn 'dyn ni ar batrôl yn y dre. Mae'r siopau a'r caffis yn brysur.

'Dw i'n hoffi Caffi Carys,' dw i'n dweud.

'Cacen siocled, mmm!' meddai Sian.

'Bara brith...'

Mae llais ar y radio:

'Dych chi'n gallu mynd i fflatiau Sŵn-y-Môr? Mae'r warden yn poeni am un o'r hen bobl.'

*

'Diolch am ddod,' meddai'r warden. 'Dw i'n poeni am Myfanwy Williams. Ble mae hi?'

'Oes dementia ar Myfanwy?'

'Nac oes, ond mae hi'n naw deg pump oed.'

'Gaf i weld fflat Myfanwy?'

'Y fflat? Pam?'

---

bara brith – *a Welsh cake sometimes known as 'speckled cake'*

15

'Weithiau 'dyn ni'n ffeindio pobl adre,' dw i'n esbonio. 'Yn y gwely, **yr ardd**, y garej, yr atig…'

*

yr ardd – *the garden*

Dyw Myfanwy ddim yn y fflat.

'**Dyma lun** o Myfanwy.'

'Diolch.'

Dw i'n gweld llun arall.

'Pwy yw'r person yn y llun yma?'

'Dw i ddim yn gwybod.'

'Ble mae teulu Myfanwy?'

'Yn Awstralia.'

'Ffrindiau yn Aberglas?'

'Dw i ddim yn siŵr. Mae hi'n newydd i'r fflatiau yma.'

'O ble mae Myfanwy'n dod yn wreiddiol?' mae Sian yn gofyn.

'O Lan-yr-afon.'

'Reit. Car heddlu i Lan-yr-afon.'

*

'Dyn ni'n mynd i siarad â'r bobl yn lolfa'r fflatiau.

'Ble mae Myfanwy'n hoffi mynd?'

'Mae hi'n mynd i'r siopau ac i'r llyfrgell. Ac i ddosbarth Tai Chi.'

'Mae hi'n hoffi cerdded. **Rownd yr harbwr** neu ar y prom.'

'Ond mae hi'n hwyr nawr,' mae'r warden yn dweud. 'Mae ffôn gyda Myfanwy. Dw i wedi trio ei ffonio hi. Ond dyw hi ddim yn ateb.'

---

dyma lun – *here's a picture*

rownd yr harbwr – *round the harbour*

*

'Dyn ni'n ffonio Sarjant Roberts.

'Iawn. Dw i'n mynd i edrych ar y CCTV. Mae Kelly a Vikram yn gallu eich helpu chi.'

'Dyn ni'n mynd i'r siopau, y caffis, y llyfrgell a'r ganolfan hamdden.

'Dych chi wedi gweld y fenyw yn y llun yma heddiw?'

'Na, sori,' yw'r ateb bob tro.

Am chwech o'r gloch 'dyn ni'n cyfarfod Kelly a Vikram eto.

'Reit, y traeth nesa,' meddai Sian.

Ond 'dyn ni ddim yn gallu gweld dim ar y traeth.

'Dyw Myfanwy ddim yma, gobeithio!' meddai Kelly. 'Mae'n lle ofnadwy yn y nos!'

''Dyn ni angen help **Gwylwyr y Glannau**,' mae Vikram yn dweud.

O, Myfanwy!

*

'Dim lwc, Sarj.'

'Iawn. Dw i'n mynd i ffonio Radio Aberglas.'

Mae'r apêl ar y newyddion:

'Mae Heddlu Aberglas eisiau help. Dych chi wedi gweld Myfanwy Williams? Mae hi'n 95 oed. Plis ffoniwch 101.'

---

gwylwyr y glannau – *coastguards*

'Dyn ni'n aros.

Ble mae hi?

*

Hanner awr wedi wyth. Mae Sian a fi yn Sŵn-y-Môr eto, yn siarad â'r warden.

''Dyn ni wedi tracio ffôn Myfanwy!' meddai Vikram ar y radio.

'Ble?'

'Bryn-y-Gwynt.'

Mae Bryn-y-Gwynt ger y môr.

'O na, Vikram! Dyn ni'n gorfod gwneud ein gorau glas i ffeindio Myfanwy!'

'Mae Sarjant Roberts yn dod i nôl ti a Sian.'

*

Mae'r sarjant yn stopio'r car ar ben Bryn-y-Gwynt.

'Dyn ni'n cerdded yn araf. 'Myfanwy?! Helô?!' 'dyn ni'n galw. 'Helô! Myfanwy!'

Dim ateb. O, Myfanwy – ble wyt ti?

Mis Chwefror yw hi. Mae hi'n oer. Beth os...?

'Ble nawr?'

Mae gwesty ar y bryn: Trem-y-Môr.

'Beth am drio'r gwesty?'

*

'Dyn ni'n cerdded i'r gwesty. Mae pawb mas o bwff nawr.

'Esgusodwch fi. Dych chi wedi gweld y fenyw yn y llun yma?' dw i'n gofyn.

'Ymmm… dw i ddim yn siŵr. Triwch yr ystafell fwyta.'

*

21

'Dyna hi, bòs!'

Mae'r hen fenyw'n bwyta swper. Mae potel o siampên a blodau ar y bwrdd.

'Esgusodwch fi. Myfanwy Williams dych chi?' mae Sarjant Roberts yn gofyn.

'Ie. Pam? Oes problem?'

'Dych chi'n iawn, Ms Williams?'

'Ydw, wrth gwrs! **Ar ben y byd**, diolch, Sarjant.'

*

'Duw, duw!' meddai Sarjant Roberts yn y car. 'Roedd Myfanwy mewn gwesty drud – Trem-y-Môr!'

'Ac mae hi'n iawn, diolch byth,' meddai Vikram.

'Ydy. Mae hi'n mwynhau swper **rhamantus**, gyda chariad,' dw i'n dweud.

'**Chwarae teg**, Myfanwy!' mae Kelly'n **chwerthin**.

'Dw i eisiau bwyd,' meddai Sian.

'Wel, dim swper drud i ni… ond beth am *pizza*, bawb?' mae'r sarjant yn gofyn.

'Grêt, sarj!'

---

ar ben y byd – *idiom: on top of the world*	
rhamantus – *romantic*	**chwarae teg** – *fair play*
chwerthin – *to laugh*	

Y Dyn yn yr Afon

Nos Wener. Mae Sian a fi ar batrôl yn y tafarnau, y clybiau a'r **bwytai** cyrri.

'Dw i'n starfo,' meddai Sian. 'Dw i eisiau cyrri. Wyt ti?'

'Nac ydw. Dw i'n bwyta'n dda nawr. Dw i'n meddwl rhedeg hanner marathon Caerdydd…'

'Hanner marathon? Pam ddim marathon?!'

'O, ie, diolch, Sian.'

'Dyn ni'n mynd ar draws Pont Fictoria. Yn sydyn mae merch yn **sgrechian**.

'Help! Mae person yn yr afon!'

*

'Dyn ni'n rhedeg i lawr at yr afon.

Mae person yn y dŵr ar lan yr afon. Dyn mawr.

'Ambiwlans i Bont Fictoria!' dw i'n dweud wrth y radio.

---

bwytai – *restaurants*   **sgrechian** – *to scream*

Mae Sian a fi'n cerdded i'r dŵr ac yn **gafael** yn y dyn.

'Un, dau, tri, **tynnu!**' meddai Sian. 'O, damo!'

'Tria eto!'

'Ie!'

SBLASH!

---

gafael – *to grab*   **tynnu** – *to pull*

'O na!'

'Eto!' meddai Sian.

'Mae e fel reslo mwd!'

Nawr mae pobl yn dod i helpu.

'Wwwff!'

'Mae e'n dod!'

SBLAT!

Mae'r dyn ar y lan. Hwrê!

*

'Syr! Syr! Edrychwch arna i!'

Dim byd.

O diar. Dw i wedi ymarfer CPR yn y dosbarth, ond dim ar berson **go iawn**... Wel, dw i'n mynd i wneud fy ngorau glas!

Dw i'n **gwasgu** brest y dyn. I fyny ac i lawr. Dw i'n canu:

'Ah, ha, ha, ha, stayin' alive, stayin' alive.

Ah, ha, ha, ha...'

Yn sydyn, mae'r dyn yn **peswch**. Mae cyrri, cwrw a dŵr yr afon dros Sian.

'Ych a fi!'

'O diar. Dwyt ti ddim eisiau cyrri nawr, Sian!'

'Na. Byth eto!'

*

---

go iawn – *real*   **gwasgu** – *to press*

peswch – *to cough*

Seiren. Yr ambiwlans.

'Helô! **Parafeddyg** dw i! Beth yw dy enw di, mêt?'

Dim ateb.

Dw i'n edrych ar y dyn eto. Dw i'n nabod e! Wel, falle…
'Gary? Gary Morris?'

Dyw e ddim yn siarad. Ond Gary yw e, dw i'n siŵr. Gary
Morris o Ben-y-dre.

Dw i'n dod o Ben-y-dre'n wreiddiol. Roedd Gary'n byw ar y
stryd drws nesa. Bwli Pen-y-dre. Bwli mawr, ofnadwy…

A dw i wedi **achub bywyd** y **diawl**!

*

Mae'r ambiwlans yn mynd i'r ysbyty. Y munud nesa mae car yr
heddlu'n sgrechian i stop ar y bont.

'O na! Sherlock!'

'Pwy yw'r blydi bobl yma?!' Mae'r ditectif yn gofyn.

'Sori!' meddai Sian yn sarcastig. 'Maen nhw wedi helpu i
achub dyn o'r afon!'

'Pwy yw'r dyn?'

''Dyn ni ddim yn gwybod eto.'

'Wel, dw i'n credu…' dw i'n dechrau.

Ond dyw Sherlock ddim yn gwrando. 'Beth oedd e'n wneud
yn y blydi afon?'

'Nofio?'

---

parafeddyg – *paramedic*   **achub bywyd** – *to save a life*
diawl – *devil, bugger*

'Nofio…? Yn y nos?!'

'Ie,' dw i'n ateb. 'Pysgodyn mawr yw e – mae e'n meddwl!'

'Twpsod!'

*

twpsod – *idiots*

Mae cot y dyn ar lan yr afon. Mae Sian yn edrych yn y pocedi.

'Mae waled yma. Cardiau banc. Enw: Rhys Bowen,' mae hi'n darllen. 'O, dyna od!'

'Beth?'

'Mae cerdyn banc Edward Hughes yma hefyd. A Michael Lewis... Sanjay Hussein... Sarah Price. Wel, wel!'

'Dw i ddim yn gwybod o ble mae'r cardiau wedi dod, Sian...,' dw i'n dweud. 'Ond Gary Morris o Ben-y-dre yw e, dw i'n siŵr.'

*

'Reit, dych chi'n gallu mynd nawr,' meddai Sherlock wrth Sian a fi.

''Ond 'dyn ni angen siarad â phobl...'

'Fi yw'r ditectif. Ta-ta!'

'Beth am lifft i'r orsaf?'

'Ti'n jocan! Dw i ddim eisiau mwd yn y car.'

Mae Sian a fi'n cerdded.

'Brrr, mae hi'n oer!' meddai Sian.

'Dw i eisiau bàth.'

'Ie. A siocled poeth mawr.'

*

Yn y bore dw i wedi blino.

'Alix, bore da!' meddai Sarjant Roberts. 'Newyddion da i ti. Mae dy ffrind Gary Morris yn iawn.'

'Ffrind?! Dw i ddim yn ffrindiau gyda bwlis fel Gary Morris.'

Mae Vikram, Kelly a Sherlock yn yr orsaf.

'Es i i dŷ Morris,' meddai Sherlock. 'Ffeindiais i heroin, cocên, cardiau banc, pasborts, ffonau ac arian.'

'Gwaith ardderchog, Ditectif!' meddai'r sarjant.

'Hy!' mae Sian yn hisio. 'Mae popeth diolch i Sherlock!'

'Ydy!' meddai Kelly. 'Mr "Ditectif Mawr Pwysig"!'

'Shhh!'

'Alix, Sian,' meddai Sarjant Roberts, 'dych chi'n mynd i gael medalau am achub Morris o'r afon.'

'Ffantastig!' Mae Vikram a Kelly'n clapio.

Medal? Mae syrpréis bob dydd yn yr heddlu!

Protest y Plant

Un dydd Gwener mae'r tîm ar y prom.

'Shwmae, bawb,' meddai Sarjant Roberts. 'Bore braf!'

'Shwmae, Sarj.'

'Reit. Mae'r plant yn y brotest yn cwrdd yma. Wedyn maen nhw'n cerdded i'r dre am rali. Dw i ddim yn **disgwyl** problemau.'

'O, na, Sarj!' meddai Kelly.

'Beth?'

'"Ddim yn disgwyl problemau". Mae e'n **anlwcus**. Fel dweud "Macbeth" yn y theatr!'

*

Am naw o'r gloch, mae llawer o blant ysgol ar y prom. Mae mamau a thadau yma hefyd, gyda babis a phlant bach mewn bygis.

Maen nhw'n cario **arwyddion**:

---

disgwyl – *to expect*   **anlwcus** – *unlucky*

arwyddion – *signs*

hinsawdd – *climate*

Mae'r plant yn dechrau cerdded ar hyd y prom. Mae e fel cárnifal. **Ar y blaen**, mae grŵp yn cario **byd** mawr. Mae drymiau, clarinét a sacsoffon yn chwarae.

Dw i'n gweld athrawes o Ysgol Aberglas: Miss Williams, Maths. O diar! Ro'n i'n **anobeithiol** yn nosbarth Miss Williams.

'Shwmae, Alix!' meddai hi. 'Rwyt ti yn yr heddlu nawr? Bendigedig!'

Waw, person neis yw Miss Williams Maths!

*

'Dyn ni'n cerdded drwy'r ganolfan siopa. Nawr, mae'r plant yn canu:

'**Ein** planed ni, ein **dyfodol** ni...'

Mae pobl ar y stryd yn stopio i edrych a gwrando.

'Mae'r plant yn canu'n dda,' dw i'n dweud wrth Miss Williams.

'Ydyn. Mae grŵp bach yn yr ysgol yn ysgrifennu'r caneuon.'

'Yn yr ysgol ro'n i'n poeni am fy marciau. Dim am y blaned!' meddai Vikram.

'Swot wyt ti, Vikram!' mae Kelly'n dweud. 'Ro'n i'n hoffi dawnsio, canu ac actio... A nawr dyma fi yn y blincin heddlu!'

'Mae Hollywood wedi colli **seren**!' meddai Sarjant Roberts. 'Lwcus i ni.'

Mae'n hwyl gweithio mewn tîm.

ar y blaen – *at the front*	**byd** – *world, globe*
anobeithiol – *hopeless*	**ein** – *our*
dyfodol – *the future*	**seren** – *star*

*

Mae'r plant yn stopio wrth **neuadd y sir**.

    'BETH 'DYN NI EISIAU?!' mae bachgen yn **gweiddi**.

    'DIM CARBON!' yw'r ateb.

    'PRYD 'DYN NI EISIAU FE?'

    'NAWR!'

*

'Nesa, dyma syrpréis i chi!' Mae'r bachgen yn pwyntio at neuadd y sir.

    Mae anifeiliaid ar y **to**! Pobl **wedi'u gwisgo** fel anifeiliaid: teigr, orangwtang, pengwin ac **arth wen**.

    Mae baner fawr:

> Gwrandewch
> ar y plant!

Mae'r plant yn clapio.

    'SHWMAE!' Mae'r teigr yn gweiddi. 'DIOLCH AM Y CROESO!'

neuadd y sir – *county hall*	**gweiddi** – *to shout*
to – *roof*	**wedi'u gwisgo** – *dressed as*
arth wen – *polar bear*	

'Ieee!'

'OND BLE MAE'R **CYNGOR**?'

'Dewch lawr, plis!' mae Sarjant Roberts yn **rhuo** ar y teigr.

'NA! 'DYN NI EISIAU SIARAD Â'R CYNGOR!'

cyngor – *council*   **rhuo** – *to roar*

*

'Dyw'r Cyngor ddim yn hapus am y brotest,' meddai Miss Williams.

'Iawn,' meddai Sarjant Roberts. 'Ond maen nhw'n gallu siarad â'r plant am ddeg munud, dw i'n siŵr. Alix, Sian, ewch i'r neuadd i ffeindio **rhywun pwysig**.'

Nawr mae faniau'r BBC ac S4C yn dod i'r maes parcio.

'Bòs, y teledu!' meddai Kelly.

*

'**Protestwyr** ar y to? Ofnadwy!' meddai'r **maer**. 'Typical o **rai o** deuluoedd Aberglas!'

'Dych chi'n gallu dod i siarad â nhw, syr?'

'Na. Blacmêl yw e! Arestiwch nhw!'

'Wel, syr…'

'Dw i'n chwarae golff gyda'r Prif Gwnstabl! Dw i'n mynd i'w ffonio fe!'

Mae lolfa'r maer yn grand iawn. Mae llawer o luniau yno: y maer gyda Charles a Camilla, Richard Branson, Dafydd Elis-Thomas, Charlotte Church.

'Mae'r BBC ac S4C yma'n ffilmio,' dw i'n dweud.

'O. Wel, wrth gwrs, dw i'n hapus i helpu!'

---

rhywun pwysig – *someone important*

protestwyr – *protestors*   **maer** – *mayor*

rhai o – *some of*

*

'Prynhawn da! Mae Cyngor Aberglas yn gweithio'n galed i helpu problemau carbon,' meddai'r maer.

'Ha, ha! Mae Rolls Royce gyda chi!' Mae'r pengwin ar y to'n gweiddi.

'Dw i'n rhedeg i'r gwaith!'

'Ie, dych chi'n parcio'r Rolls rownd y gornel!'

'Dyna ddigon! Sarjant, arestiwch nhw!'

Yn sydyn mae'r orangwtang yn galw, 'Helô, Dad!'

'Dominic?' meddai'r maer mewn sioc. 'Ond… beth…? Sut…? Pam…?'

Y Siarc

Bore dydd Llun 'dyn ni yn y cantîn.

'Beth wnest ti dros y penwythnos, Alix?' mae Kelly'n gofyn.

'Rhedeg. A gwaith cartre **seicoleg**.'

'Wyt ti'n dysgu seicoleg?' meddai Vikram. 'Bendigedig!'

'Ydw. Dw i eisiau deall pobl. Pam maen nhw'n gwneud pethau ofnadwy...'

'Da iawn, ti,' meddai Sian. 'Dw i jest eisiau arestio'r bobl **ddrwg**!' Mae hi'n codi. 'Mmm, brecwast hyfryd. Reit, Alix, amser mynd!'

*

'Dyn ni'n mynd ar batrôl yn y ganolfan siopa.

Yn sydyn mae larwm yn canu: WAW, WAW, WAW!

'Siop Hughes y **Gemydd**!' meddai Sian.

'Dyn ni'n rhedeg i'r siop.

---

seicoleg – *psychology*   **drwg** – *bad*

gemydd – *jeweller*

*

'Mae'r **lleidr** yma!' meddai'r rheolwr. 'Mae watshys Rolex gyda fe!'

'Ble mae e?'

'Yn y swyddfa. Dw i wedi **cloi'r** drws.'

'Dyn ni'n mynd at ddrws y swyddfa.

'Heddlu!' mae Sian yn gweiddi. 'Eisteddwch ar y llawr! Nawr!'

Waw, Sian y rottweiler!

Yn sydyn dw i'n nerfus. Pwy yw'r lleidr? Dyn cas, gyda gwn mawr?

'Dw i'n mynd i agor y drws,' meddai Sian. 'Barod, Alix?'

'Barod.'

BANG!

Mae'r drws yn agor.

Dyma'r lleidr ofnadwy…?

Dyn bach yn crio. 'Sori!'

*

'Beth yw'ch enw chi?'

'Steffan Huws.'

'Ble mae'r watshys?'

'Yma… Sori! Dw i ddim yn berson drwg. Ond dw i mewn trwbwl ofnadwy!'

---

lleidr - *thief*   **cloi** - *to lock*

'Mewn trwbwl? Pa drwbwl?'

'Arian. Dw i angen arian. Os dw i ddim yn ffeindio'r arian heddiw...'

'Beth?'

'Dw i ddim yn gallu dweud mwy. Maen nhw'n bobl ofnadwy!' Mae e'n crio.

'Nonsens!' meddai rheolwr y siop. 'Does dim esgus. Lleidr wyt ti!'

*

'Dyn ni'n mynd i'r orsaf a rhoi Steffan mewn cell. Wedyn 'dyn ni'n dweud y stori wrth Sarjant Roberts.

'Mae e wedi cael arian gan **siarc benthyg arian**, siŵr o fod,' meddai'r sarjant.

'Siarc benthyg arian? O na!' dw i'n dweud. 'Trwbwl mawr!'

'Wel, mae Steffan yn saff mewn cell nawr. Mae'r siarc yn job i'r tîm yng Nghaerdydd. Dw i'n mynd i ffonio Ditectif Sarjant Sonia Wilson nawr.'

*

'Tîm yng Nghaerdydd?' meddai Sian. 'Dw i eisiau ffeindio'r siarc yn Aberglas.'

'Reit. 'Dyn ni'n gallu gwneud ein gorau glas!'

'Ie, ond sut?'

'Wel, mae syniad gyda fi.'

'Beth?'

'Wel, mae Steffan yn trio ffeindio'r arian heddiw...'

'Mmm?'

'Felly mae e'n mynd i weld y siarc heno.'

'Ie, Alix!'

---

siarc benthyg arian – *loan shark*

*

Mae Steffan yn byw yn 82, Heol y Capel. Am chwech o'r gloch 'dyn ni'n parcio ar y stryd.

Am saith mae Sian yn mynd i brynu coffi a chacen.

Am wyth dw i'n mynd i'r siop sglodion i Sian.

'Dyw e ddim yn dod,' meddai Sian am naw o'r gloch. 'Damo!'

*

Yna, mae car yn stopio ar yr heol. Mae menyw'n gyrru. Mae dyn yn dod allan o'r car. Mae ci gyda fe. Rottweiler!

Mae'r ci'n stopio. Mae e'n **gwneud ei fusnes** ar y pafin.

'Hei!' mae Sian yn protestio. 'Dyw e ddim wedi rhoi'r **baw ci** mewn bag!'

'Shhh!'

Mae'r dyn yn mynd at rif 82. 'OI, STEFFAN! DW I EISIAU FY ARIAN I!'

BANG! BANG!

'STEFFAN! AGOR Y BLYDI DRWS!'

'Sian, dyna fe!' dw i'n dweud.

Mae'r dyn yn troi ac yn mynd i'r car. Mae e'n dod yn ôl yn cario can.

'Can petrol!'

'STEFFAN! DW I DDIM YN MYND **HEB** FY ARIAN I!'

---

gwneud ei fusnes - *to poo*   **baw ci** - *dog mess*
heb - *without*

Nawr mae e'n codi'r can petrol...

'Dyn ni'n gorfod stopio fe!' dw i'n dweud.

'Dyn ni'n rhedeg ar draws y stryd. Dw i'n siarad â'r radio: 'Car heddlu ac **injan dân** i 82, Heol y Capel!'

Mae'r dyn yn gweld Sian a fi. 'Dere, Satan!' mae e'n dweud wrth y ci. Mae'r ci'n **chwyrnu**.

Help!

Y foment nesa mae'r siarc yn **llithro** ar y baw ci.

CRAC!

'Ow!'

'Wps!' meddai Sian. 'Dewch gyda ni, plis, syr.'

---

injan dân – *fire engine*   **chwyrnu** – *to growl*

llithro – *to slip*

Y Côr

Mae Sarjant Roberts yn rhoi poster ar y wal:

Côr y Glas

Dych chi'n hoffi canu?

Mae côr yr heddlu yn **chwilio** am bobl newydd

7 o'r gloch, nos Iau
Neuadd Capel Jerwsalem, Caernewydd

'Côr? Dim fi!' meddai Kelly.

'Piti,' meddai'r sarjant. ''Dyn ni'n canu yn y stadiwm...'

'Mewn gêm rygbi?! Ar y teledu? O, wel, iawn!' mae hi'n dweud. 'Ti, hefyd, Vikram!'

'Wyt ti'n hoffi canu, Alix?' mae'r sarjant yn gofyn.

'Wel, ro'n i'n canu yn yr ysgol… Ond…'

'Bendigedig!'

*

---

chwilio – *to look*

'A-A-A-A-A-A-AAA!' Mae'r côr yn canu. 'W-W-W-W-W-W-WWW!'

'Nesa 'dyn ni'n mynd i ganu "*Calon Lân*".'

Grêt!

Dw i ddim yn gwybod y gân nesa, '*Anfonaf Angel*', ond mae hi'n hyfryd.

Ar ôl yr ymarfer 'dyn ni'n mynd i'r dafarn. Dw i'n siarad â Gwen a Dai.

Ar y bws mae Sian yn gofyn,

'Wyt ti'n gwybod pwy yw Gwen, Alix?'

'Na. Pwy?'

'Bòs heddlu Caernewydd.'

'Y bòs?!'

'Does dim bosys yn y côr,' meddai Sarjant Roberts. ''Dyn ni'n un teulu mawr!'

*

Mae problem newydd yn Aberglas: mygwyr moped. Maen nhw'n dwyn ffonau, bagiau a waledi ar y stryd.

'O ble maen nhw'n dod?' meddai Sarjant Roberts. 'Un munud maen nhw yna… y munud nesa, **bant â nhw** ar y moped! Ble maen nhw'n mynd?'

'Dyn ni'n **astudio**'r CCTV. Ar batrôl, 'dyn ni'n edrych ar bob moped. Ond 'dyn ni ddim yn gallu ffeindio'r mygwyr.

*

---

bant â nhw – *off they go*   **astudio** – *to study*

'Mae'r Eisteddfod fis nesa,' meddai **arweinydd** y côr.

'Eisteddfod Aberglas?'

'Nage. Yr Eisteddfod **Genedlaethol**. 'Dyn ni'n mynd i ganu *"Anfonaf Angel"* ac *"O Gymru".'*

Hyfryd! Ond dw i'n poeni.

'Dw i ddim yn siŵr am yr Eisteddfod. Dw i'n newydd...'

'Nonsens, Alix!' meddai Sarjant Roberts. 'Mae pedwar côr heddlu'n mynd i'r Eisteddfod,' mae e'n **esbonio**. 'A dw i eisiau ennill y cwpan, iawn?'

'Ffantastig!' meddai Kelly.

Mam fach! Canu yn yr Eisteddfod Genedlaethol, fi?!

*

Yn yr orsaf heddlu 'dyn ni'n siarad am y mygwyr moped.

'Maen nhw'n mygio hen bobl, plant a mamau gyda babis mewn prams nawr!' meddai Vikram.

''Dyn ni'n gorfod ffeindio nhw,' mae Sarjant Roberts yn dweud. 'Oes syniadau?'

'Mae e fel pos "Where's Wally?"!' meddai Kelly.

'Sarj, maen nhw wedi mygio pobl yn Stryd y Parc, Heol Fictoria, Lôn Coedglas...' dw i'n dweud. 'Mae pob stryd ger Parc Fictoria.'

'Pwynt da, Alix! Maen nhw'n gallu reidio trwy'r parc. Dyw ceir yr heddlu ddim yn gallu **dilyn**. Reit!'

arweinydd – *conductor*	**genedlaethol** – *national*
esbonio – *to explain*	**dilyn** – *to follow*

*

Mae'r tîm yn dechrau **ymgyrch** 'Ble mae Wali?' ym Mharc Fictoria. Mae Sarjant Roberts yn y tîm, ond dim ein criw ni.

'Damo!' meddai Sian. 'Dw i eisiau arestio'r mygwyr!'

Mae Sian **yn ddewr** iawn. Ond dw i'n hapus. Dw i wedi helpu. Mae'r tîm yn siŵr o ffeindio rhywbeth yn y parc…

*

Dydd Iau, dw i'n **cyrraedd** y gwaith am hanner awr wedi chwech.

'Alix! Mae Sarjant Roberts yn yr ysbyty!' meddai Sian.

'O na! Pam?'

'Y mygwyr moped.'

'Y bastards! Ydy'r sarj yn iawn?'

'Mae e mewn plaster. Mae e'n ofnadwy!'

Yn y cantîn, mae'r ditectifs yn bwyta brecwast. Maen nhw'n siarad ac yn chwerthin yn uchel.

'Wel, dych chi'n hapus iawn heddiw!' meddai Sian yn sarcastig. 'Beth am Sarjant Roberts?!'

''Dyn ni wedi arestio'r mygwyr moped!' mae Sherlock yn protestio.

---

ymgyrch – *campaign*	**yn ddewr** – *brave*
cyrraedd – *to arrive*	

'Diolch i Alix am feddwl am Barc Fictoria!' meddai Vikram.

Ie, a diolch i fi mae Sarjant Roberts yn yr ysbyty, dw i'n meddwl.

*

Mae'r gang yn siarad wedyn. 'Mae'r Eisteddfod dydd Sadwrn!'

'Dw i ddim eisiau mynd nawr,' meddai Kelly. 'Dim heb Sarjant Roberts.'

Dim Eisteddfod? Grêt.

'Na,' meddai Vikram. 'Ond 'dyn ni *yn* mynd. A 'dyn ni'n gorfod canu'n ffantastig – canu i'r sarj!'

Dw i'n trio **gwenu**.

*

'Croeso i'r Eisteddfod!' meddai'r stiward. 'Mwynhewch!'

'Dyn ni'n cerdded rownd **y Maes**, yn edrych ar y **stondinau**. Mae pobl yn bwyta hufen iâ ac yn siarad â ffrindiau. Dw i'n gweld Ruth Jones o *Gavin and Stacey*. Yna Derek Brockway, y dyn tywydd!

Mae **cystadleuaeth** 'Cwpan y Corau' am dri o'r gloch. Am hanner awr wedi dau, 'dyn ni'n aros yn y Pafiliwn.

'Mae'r **llwyfan** yn fawr!' dw i'n dweud.

'Dw i eisiau mynd i'r toiled *eto*!' mae Kelly'n chwerthin.

'Peidiwch â phoeni...' meddai Vikram.

Yn sydyn:

'Shwmae, bawb!'

gwenu – *to smile*	
y Maes – *the name for the Eisteddfod festival field*	
stondinau – *stalls*	**cystadleuaeth** – *competition*
llwyfan – *stage*	

'Sarj!' meddai Sian. 'A Mrs Roberts!'

Mae'r Sarjant mewn **cadair olwyn**.

'Ond, bòs, beth dych chi'n wneud yma?'

'Canu, wrth gwrs! Dw i wedi **torri coes**, ond mae'r llais **yn berffaith iawn**!'

Dw i'n **anadlu'n ddwfn**. Dw i'n canu yn yr Eisteddfod. Dw i'n mynd i wneud fy ngorau glas... Yna, dw i'n gallu gwneud **unrhyw beth**.

Alix Jenkins, Heddlu Aberglas. **Arwres**!

cadair olwyn – *wheelchair*	**torri coes** – *to break a leg*
yn berffaith iawn – *perfectly fine*	
anadlu'n ddwfn – *to take a deep breath*	
unrhyw beth – *anything*	**arwres** – *heroine*

Geirfa

achub bywyd – *to save a life*

anadlu'n ddwfn – *to take a deep breath*

anlwcus – *unlucky*

anobeithiol – *hopeless*

ar ben y byd – *idiom: on top of the world*

ar y blaen – *at the front*

arhoswch – *wait*

arth wen – *polar bear*

arweinydd – *conductor*

arwres – *heroine*

arwyddion – *signs*

astudio – *to study*

bant â nhw – *off they go*

bara brith – *a Welsh cake sometimes known as 'speckled cake'*

baw ci – *dog mess*

bwytai – *restaurants*

byd – *world, globe*

cadair olwyn – *wheelchair*

cloi – *to lock*

colli – *to lose*

cyffion – *handcuffs*

cyngor – *council*

cyrraedd – *to arrive*

cystadleuaeth – *competition*

chwarae teg – *fair play*

chwerthin – *to laugh*

chwilio – *to look*

chwyrnu – *to growl*

damo – *damn*

diawl – *devil, bugger*

dilyn – *to follow*

disgrifio – *to describe*

disgwyl – *to expect*

druan – *poor thing*

drwg – *bad*

dyfodol – *the future*

dyma lun – *here's a picture*

ein – *our*

esbonio – *to explain*

esgusodwch fi – *excuse me*

fy ngorau glas – *my very best*

gafael – *to grab*

gemydd – *jeweller*

genedlaethol – *national*

go iawn – *real*

Gorau Glas – *idiom: to do your very best*

gorsaf yr heddlu – *police station*

gwasgu – *to press*

gweiddi – *to shout*

gwenu – *to smile*

gwneud ei fusnes – *to poo*
gwylwyr y glannau –
  coastguards

heb – *without*
hinsawdd – *climate*
hoff – *favourite*
hwrê – *hooray*

i ffwrdd – *away*
injan dân – *fire engine*
iwnifform – *uniform*

lwcus – *lucky*

llais – *voice*
lleidr – *thief*
llithro – *to slip*
llwyfan – *stage*

maer – *mayor*
mas o bwff – *out of breath*

neuadd y sir – *county hall*

paid â phoeni – *don't worry*
parafeddyg – *paramedic*
peswch – *to cough*
protestwyr – *protestors*

rownd yr harbwr – *round the
  harbour*

rhai o – *some of*
rhamantus – *romantic*
rhuo – *to roar*
rhywun pwysig – *someone
  important*

seicoleg – *psychology*
seren – *star*
sgrechian – *to scream*
siarc – *shark*
siarc benthyg arian – *loan shark*
stopiwch – *stop*
stondinau – *stalls*

tenau – *thin*
to – *roof*
torri coes – *to break a leg*
twpsod – *idiots*
tynnu – *to pull*

unrhyw beth – *anything*

wedi'i ddwyn – *stolen*
wedi'u gwisgo – *dressed as*

y Maes – *the name for the
  Eisteddfod festival field*
ymgyrch – *campaign*
yn berffaith iawn – *perfectly fine*
yn ddewr – *brave*
yn sydyn – *suddenly*
yn troi yn fy mol – *turning in
  my stomach*
yr ardd – *the garden*

Lefel Mynediad

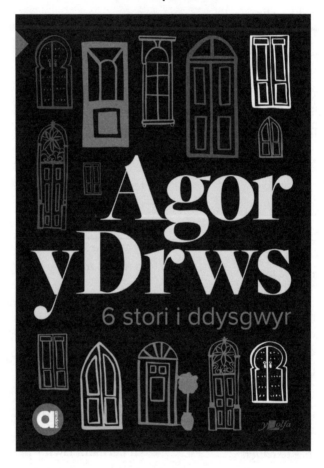

£4.99

Lefel Mynediad

£4.99

Lefel Mynediad

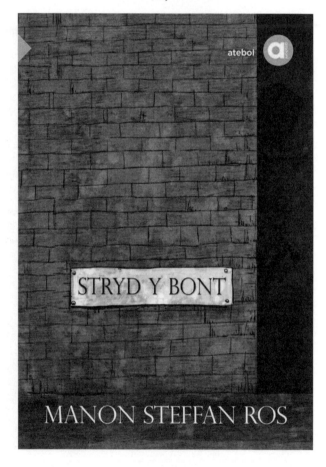

£4.99

Lefel Mynediad

£6.99

Lefel Mynediad

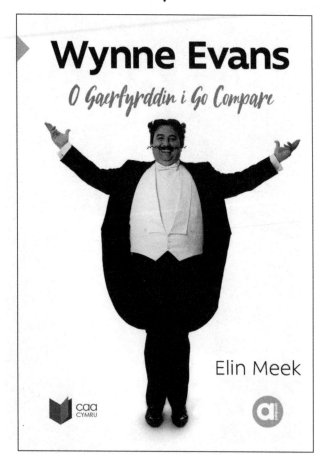

£6.99

Lefel Sylfaen

£5.99

Lefel Sylfaen

£6.99

Lefel Sylfaen

£6.99

Lefel Uwch

Tad sengl. Ardal newydd. Hen gariad. Sawl cyfrinach.
Nofel ysgafn, ramantus am yr her o newid byd!

y Lolfa

Rob

MARED LEWIS

"Nofel gynnes, annwyl am ddechrau eto a cheisio
magu plant ar eich pen eich hun. Mi wnes i syrthio
mewn cariad gyda Moc!" **BETHAN GWANAS**

£6.99

Hefyd i Lefel Mynediad:

£4.95

CAMU YMLAEN

Gol. Meleri Wyn James

Deunydd darllen difyr i ddysgwyr lefel Mynediad

CYFRES AR BEN FFORDD

£4.95

Holwch am bris argraffu!
www.ylolfa.com